흡혈귀 루디, 치과는 정말 싫어

SEOUL, 2000

흡혈귀 루디, 치과는 정말 싫어

초판 제1쇄 발행일 2000년 6월 25일
초판 제74쇄 발행일 2022년 3월 20일
글 잉그리트 위베 그림 마리아 비스만 옮김 문성원
발행인 박헌용, 윤호권 발행처 (주)시공사
주소 서울시 성동구 상원1길 22, 6-8층 (우편번호 04779)
대표전화 02-3486-6877 팩스(주문) 02-585-1247
홈페이지 www.sigongsa.com/www.sigongjunior.com

ISBN 978-89-527-8612-8 74850
ISBN 978-89-527-5579-7 (세트)

*시공사는 시공간을 넘는 무한한 콘텐츠 세상을 만듭니다.
*시공사는 더 나은 내일을 함께 만들 여러분의 소중한 의견을 기다립니다.
*잘못 만들어진 책은 구입하신 곳에서 바꾸어 드립니다.

KC마크는 이 제품이 공통안전기준에 적합하였음을 의미합니다.
제조국 : 대한민국 사용 연령 : 8세 이상
책장에 손이 베이지 않게, 모서리에 다치지 않게 주의하세요.

흡혈귀 루디, 치과는 정말 싫어

잉그리트 위베 글 · 마리아 비스만 그림 · 문성원 옮김

시공주니어

차례

흡혈귀 루디, 치과는 정말 싫어

1. 흡혈귀 루디

루디 밤피어는 흡혈귀였습니다.

루디는 아침 식사로 빨간 빛깔을 띠는 건

뭐든지 좋아했습니다. 그 가운데서도 특히,

말린 곡물에 피를 부어 먹는 걸 가장 좋아했지요.

루디는 우유를 몹시 싫어했습니다.

우유는 입맛이 떨어질 정도로 너무 하얗고,

또 너무 맹탕이어서 아무 맛도 나지 않았거든요.

루디는 손을 뻗어 피가 든 커다란 병을 집어 든 다음,

자그마한 자기 그릇에 피를 가득 부었습니다.

그러자 그릇 안이 온통 빨개졌습니다.

말린 곡물이랑 말린 사과 조각,

또 건포도와 아몬드까지

모두 빨갛게 물이 들었답니다.

야, 맛있겠는걸!

루디는 얼른 숟가락을 들었습니다.

그런 다음 피를 한 숟가락 떠서

후루룩 들이마셨습니다.

루디는 말린 곡물이랑 말린 사과 조각,

또 건포도와 아몬드를 씹기 시작했습니다.

"아야!"

루디가 소리쳤습니다.

오른쪽 송곳니가 갑자기 너무 아팠거든요.

그러자 엄마가 물었습니다.

"왜 그러니, 루디야?"

루디가 대답했습니다.

"딱딱한 아몬드를 씹었어요."

아빠가 말했습니다.

"겨우 아몬드 갖고 그 야단이니?

흡혈귀 어린이라면 아몬드쯤은

잘 씹을 줄 알아야지."

"하지만 너무 아팠단 말이에요."

루디가 불만을 터뜨리자,

엄마가 말했습니다.

"그럼 하루라도 빨리 치과에 가 봐야겠구나!"

루디는 고개를 저으며 대답했습니다.

"이젠 괜찮아졌어요."

사실 루디는 치과에 가고 싶지 않았거든요.

루디는 아몬드를 씹지 않으려고
아침을 조심조심 먹었습니다.
아몬드만 남겨 놓고 말이에요.

2.송곳니가 아파요

학교에 가서도 이는 여전히 아팠습니다.
루디는 여느 때와는 달리
조금도 명랑하지 않았습니다.
수업 시간에도 한 번도 손을 들어
발표하지 않았답니다.

루디의 담임인 나물어 선생님은
몇 번이나 고개를 설레설레 흔들면서
루디를 바라보았습니다.
루디는 쉬는 시간에도
다른 아이들과 함께 놀지 않았습니다.
혼자 구석에 가서 서 있을 뿐이었습니다.

루디의 여자 친구인 이기트는
그런 루디를 도무지 이해할 수 없었습니다.

다음 수업은 이를 관리하는 시간이었습니다.

이 관리는 루디가 가장 좋아하는 과목이랍니다.

하지만 루디는 왠지 칫솔이 무서웠습니다.

그래서 여느 때와는 달리

칫솔질을 힘차게 하지 않았습니다.

그랬는데도 송곳니가 몹시 아팠습니다.

"아야!"

루디는 비명을 지르더니,

화가 나서 칫솔을 벽 쪽으로 내던졌습니다.

나물어 선생님이 말했습니다.

"아무래도 하루라도 빨리 치과에 가 봐야겠구나!"

그러자 루디가 버럭 소리쳤습니다.

"싫어요, 치과에는 가지 않을 거예요."

루디는 굵은 눈물 방울을 뚝뚝 흘렸습니다.

사실 루디는 송곳니가 참기 힘들 정도로

몹시 아팠거든요.

3.치과는 정말 싫어

밤 12시가 되자, 학교 수업이 모두 끝났습니다.
루디는 집으로 가려고 길을 나섰습니다.
이기트도 루디와 함께 갔습니다.
길모퉁이까지는 같은 방향이라
함께 갈 수 있었거든요.

길모퉁이에 다다르자 이기트가 말했습니다.
"루디야! 이가 아프면 치과에 가야 하는 거야.
그건 아주 당연한 일이라고!"
루디가 대답했습니다.
"그야 물론이지. 그런데 난 이가 하나도 안 아픈걸."
이기트가 잠깐 생각하다 루디한테 물었습니다.
"아이스크림 먹을래? 내가 사 줄게.
일요일에 할머니가 용돈을 좀 주셨거든."
둘은 아이스크림 가게로 뛰어갔습니다.
이기트가 아이스크림을 주문했습니다.

"핏빛 나는 오렌지 아이스크림 두 개 주세요!"
이기트와 루디는 둘 다
핏빛 오렌지 아이스크림을 가장 좋아했습니다.
둘은 야트막한 돌담 위에 걸터앉아
아이스크림을 핥아 먹었습니다.
"아야!"
루디가 소리치더니, 화가 나서
아이스크림을 땅바닥에 내팽개쳤습니다.

"송곳니가 너무 아파!"

"그럼 이가 아픈 게 사실이었구나."

이기트가 계속 말했습니다.

"그럼 하루라도 빨리 치과에

가 봐야겠구나! 흡혈귀는 이가

튼튼해야 하잖니. 앞으로 죽을 때까지

죽만 먹고 살 생각이 아니라면 말이야."

루디는 고개를 저었습니다.

이기트가 말했습니다.

"그래, 좋은 생각이 있어! 우리 삼촌이 치과 의사야.

나도 삼촌한테 가서 이를 몇 번 치료받은 적이 있어.

우리 삼촌은 아주 친절하고,

또 아주 조심조심 이를 치료하거든."

루디는 한숨을 내쉬며 말했습니다.

"나는 한 번도 치과에 가 본 적이 없어.

하지만 치과는 아주 무서운 데라고 들었단 말이야."

이기트가 말했습니다.
"그건 터무니없는 소리야!
네가 생각하는 것만큼
그렇게 무섭지 않아. 내 말을
믿어도 좋아."

루디는 또다시 한숨을 내쉬었습니다.
"그럼 같이 가 줄래?"
"그야 물론이지."
그래서 둘은 바로 그 자리에서 일어나
하늘로 날아올랐습니다.

4.치과 의사 나뚫어

"바로 여기야!"

이기트는 아주 오래 된 건물 앞에 멈춰 섰습니다.

입구에는 커다란 간판이 달빛을 받아

번쩍이고 있었습니다.

간판 위에는 이렇게 써 있었습니다.

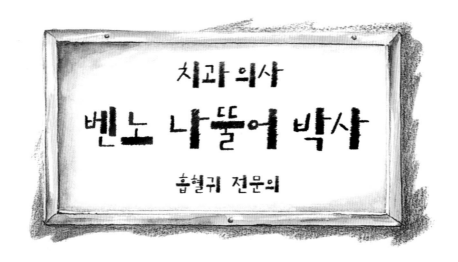

치과 의사
벤노 나뚤어 박사
흡혈귀 전문의

"바로 우리 삼촌이야.
너도 우리 삼촌이 마음에 들걸."
이기트는 루디의 등을 떠밀어 대기실로
들여보냈습니다.
대기실 안에는 아이를 데리고 온 어머니 둘,
뚱뚱한 여자, 그리고 나이가 아주 많이 들어
보이는 할아버지가 앉아 있었습니다.

24

물론 하나같이 흡혈귀들이었지요!

그건 한눈에 척 알아볼 수 있었답니다.

의자 두 개가 비어 있었습니다.

이기트와 루디는 의자에 앉았습니다.

"이젠 이가 하나도 아프지 않단 말이야."

루디가 또 고집을 피우자, 이기트가 말했습니다.

"엉뚱한 소리 말아. 집에 돌아가면

곧바로 또 아프기 시작할걸."

이기트는 잡지를 집어 들고
한 장 한 장 넘기기 시작했습니다.
이기트가 말했습니다.
"야, 이것 좀 봐!
멋진 사진까지 실린 재미있는 글이야.
제목은 '드라큘라의 멋진 후예들'이야."
사진에는 세상 곳곳에 살고 있는
어린 흡혈귀들의 모습이 실려 있었습니다.

이기트와 루디는 머리를 맞대고
사진을 들여다보면서 기사를 읽고 있었습니다.
하얀 가운을 걸친 흡혈귀 간호사가
이따금씩 밖으로 나와 말했습니다.
"다음 분 들어오세요!"

5.무시무시한 은빛 갈고랑이

탑에 걸린 종이 새벽 3시를 알리자,

루디가 들어갈 차례가 되었습니다.

루디는 간호사를 따라 진찰실 안으로 들어갔습니다.

이기트도 루디와 함께 진찰실 안으로 들어갔지요.

그곳에는 치과 의사인 나뚤어 선생님이

앉아서 기다리고 있었습니다.

이기트가 말했습니다.

"안녕하세요? 벤노 삼촌. 얘는 내 친구 루디예요.

루디가 송곳니가 아프대요."

나뚤어 선생님이 둘을 보고 웃었습니다.

나뚤어 선생님은 아주 멋진 송곳니를

갖고 있었습니다.

길고 뾰족할 뿐만 아니라,

하얗고 튼튼해 보였습니다.

"반갑다, 루디야."

나뚤어 선생님은 다정한 목소리로 계속 말했습니다.

"어서 이 의자에 앉으렴!"

루디는 고분고분 의자 위에 앉았습니다.

하지만 루디가 의자에 앉자마자,

달갑지 않은 일이 시작되었습니다.

나뚤어 선생님은 자그마한 은빛 갈고랑이를

손에 들고 말했습니다.

"자, 이제 입을 '아' 하고 벌리렴!"

루디는 고개를 흔들었습니다.

나뚤어 선생님은 이맛살을 찌푸리며 소리쳤습니다.

"이런! 설마 겁이 나서 그러는 건 아니겠지?"

루디는 아무런 대답도 하지 않았습니다.

"루디는 여태 한 번도 치과에 와 본 적이 없대요."
이기트가 사정을 설명해 주자,
나뚤어 선생님이 소리쳤습니다.
"아니, 어떻게 그런 일이 있을 수 있니?
그러니 이가 아픈 게 당연하지!"
나뚤어 선생님은 이기트를 대기실로 내보냈습니다.
루디랑 단 둘이 있고 싶었거든요.
나뚤어 선생님은 다시 자그마한 은빛 갈고랑이를
집어 들었습니다.
그런데 바로 그 때, 진찰실 문이 열렸습니다.
간호사가 진찰실 안을 들여다보며 말했습니다.
"선생님, 지금 전화 받으실 수 있겠어요?"
그러자 나뚤어 선생님은 서둘러 밖으로 나갔습니다.

6.얏! 박쥐로 변신

루디는 마음을 놓으며 숨을 크게 내쉬었습니다.

이번에도 운이 좋았던 거지요!

루디는 의자에서 미끄러져 내려왔습니다.

'얼른 도망쳐야지!
아냐, 그냥 여기에 있을까?
아니면 변신하는 게 더 나을지도 몰라.
박쥐로 말이야!'
루디는 학교에서 박쥐로 변신하는 법을
배운 적이 있었습니다.
루디는 서둘러 주문을 외웠습니다.
"후쉬―후쉬, 핍―핍!
날개 달린 짐승이 집 주위를 날아다니네.
핍―핍, 후쉬―후쉬!
흡혈귀는 박쥐로 변해라, 얏!"

그러자 루디는 곧바로 박쥐가 되어
방 안을 날아다녔습니다.
그러다가 천장 쪽으로 날아가
전등에 거꾸로 매달렸습니다.

7.나뚤어 선생님도 박쥐로!

진찰실로 돌아온 나뚤어 선생님은
깜짝 놀라고 말았습니다.
나뚤어 선생님은 진찰실 안을 이리저리 둘러보다가,
전등 쪽을 바라보았습니다.

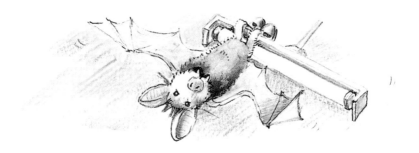

근데, 박쥐 한 마리가 거꾸로 매달려 있었습니다.

나뚤어 선생님은 웃음이 터져 나왔습니다.

사실은 그 박쥐가 루디라는 걸 금방 알았거든요.

어떻게 알았냐고요?

나뚤어 선생님도 루디와 똑같은 흡혈귀였으니까요.

나뚤어 선생님이 외쳤습니다.

"얼른 이 밑으로 내려와서 본모습으로 돌아와!

안 그러면 내가 너를 진찰할 수 없잖니."

하지만 박쥐는 전등에 매달린 채

왔다 갔다 그네를 타면서 날개만 퍼덕거렸습니다.

나뚤어 선생님이 소리쳤습니다.

"좋아, 거기서 기다려!"

"변신은 나한텐 식은 죽 먹기지."

나뚤어 선생님은 머릿속으로

주문을 생각해 보았습니다.

나뚤어 선생님은 곧 주문을 외웠습니다.

"수리부엉이가 울고 부엉이가 소리지르면

늑대의 울음소리도 뒤따라 들려 온다네.

갑자기 늑대의 모습이 나타났네.

어떻게 늑대가 나타났는지 아무도 모른다네."

주문이 끝나자,

나뚤어 선생님은 온데간데없었습니다.

선생님이 서 있던 자리에는

커다란 늑대 한 마리가 서서 천장을 올려다보며

으르렁거리고 있었습니다.

박쥐는 웃음을 터뜨렸습니다.

그리고 계속 그네를 타면서 소리쳤습니다.

"와! 그런 것도 학교에서 배웠어요?"

"물론이지!"

늘대가 으르렁거리며 말했습니다.

"변신하기는 내가 가장 좋아했던 과목이었어."

박쥐는 웃음을 터뜨리며 말했습니다.

"참 이상하네! 이를 관리하는 시간을

가장 좋아한 게 아니었단 말이에요?"

늘대는 으르렁거리며 소리쳤습니다.

"말을 딴 데로 돌리지 말고,

어서 당장 이 밑으로 내려와!"

박쥐는 킥킥거리며 대답했습니다.

"그러지 말고 이 위로 한번 올라와 봐요.

올라올 줄 모르세요?"

늘대는 화가 머리끝까지 나서 고개를 흔들었습니다.

두말 할 것도 없이

늘대는 전등 위로 올라갈 수 없습니다.

늘대한테는 날개가 없으니까요.

박쥐는 더 큰 소리로 킥킥거리면서 말했습니다.

"왜 박쥐로 변신하지 않죠?

박쥐가 되면 나처럼 날개가 생기잖아요."

늑대는 잠시 생각해 보았습니다.

"그 말이 맞군! 하지만 조심하는 게 좋을걸.

내가 위로 올라가서 깜짝 놀랄 일을 벌릴 테니까."

눈 깜짝할 사이에 늑대는 박쥐가 되어

천장으로 날아갔습니다.

8.그네 타는 박쥐 두 마리

그러자 정말로 깜짝 놀랄 일이 벌어졌습니다.
나뚤어 선생님은 루디와 나란히
전등에 거꾸로 매달리자마자,
모든 걸 다 잊어버리고 말았습니다.
치과 의사였을 적에 했던 말도,
또 늑대였을 적에 으르렁거리며 했던 말도,
모두 잊어버리고 말았습니다.
이젠 그저 전등에 거꾸로 매달려
그네나 실컷 타고 싶을 뿐이었습니다.

바로 박쥐가 된 루디처럼 말입니다.

그네를 타는 건 참 재미있어!

그네를 타는 건 참 신나!

"야호, 신난다!"

둘은 소리를 지르며 신나게 그네를 탔습니다.

대기실에서 기다리고 있던 이기트가

진찰실 안에서 들리는 소리에 깜짝 놀랐습니다.

환호성이 울려 나온다는 게

도무지 믿기지 않았거든요.

도대체 어떻게 된 일이람?

이기트는 일단 좀 기다려 보기로 했습니다.

그런데 열 번씩이나

"야호, 신난다!" 하는 소리가 들려 오자,

이기트는 재빨리 진찰실 쪽으로 달려가

문을 활짝 열었습니다.

세상에, 이럴 수가!

진찰실 안에서는 박쥐 두 마리가

전등에 거꾸로 매달린 채, 시합이라도 하듯

열심히 그네를 타고 있었습니다.

이기트는 어떻게 된 일인지 알 수 있었습니다.

이기트가 소리쳤습니다.

"루디야! 벤노 삼촌!

둘 다 머리가 어떻게 된 거 아니에요?"

그러자 박쥐들은 깜짝 놀랐습니다.

"쿵" 하는 소리가 두 번 잇달아 나면서,

둘 다 바닥 위로 떨어졌습니다.

이기트는 망설이고 말 것도 없이

얼른 주문을 외웠습니다.

"박쥐들아 흡혈귀가 되어라, 얏!"

그러자 박쥐들은 온데간데없었습니다.

박쥐들이 있던 자리에는

루디와 나뚤어 선생님이 주저앉아 있었습니다.

이기트가 말했습니다.

"둘 다 정말 엉뚱하기 짝이 없네요!

창 밖을 내다보기나 했어요?

벌써 날이 밝아 오고 있단 말이에요."

루디와 나뚤어 선생님은 소스라치게 놀라며

창문 쪽을 바라보았습니다.

창문 밖에는 벌써 날이 밝아 오고 있었습니다.

9.이 치료 끝!

루디가 얼른 의자 위로 올라가 앉자,

나뚤어 선생님은 루디를 진찰하기 시작했습니다.

이기트가 말했습니다.

"이제야 모든 게 제대로 돌아가는군요.

서두르면 해 뜨기 전에 치료를 끝낼 수 있을 거예요."

루디는 몸을 부들부들 떨면서도

고개를 끄덕이며 말했습니다.

"난 준비됐으니까, 어서 시작하세요!"

그런 다음 루디는 눈을 꼭 감고 입을 크게 벌렸습니다.

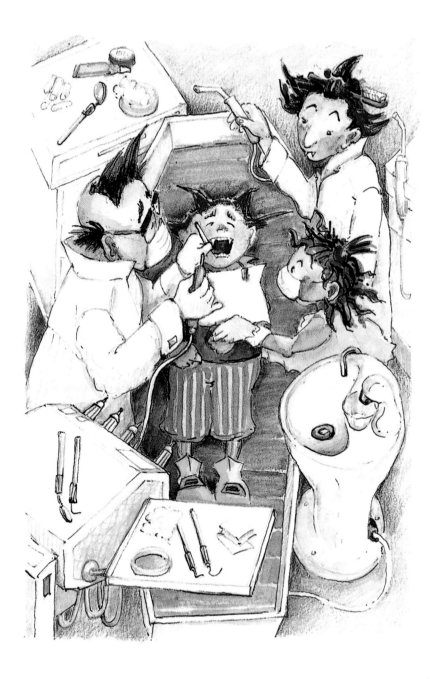

이기트는 루디의 손을 붙잡아 주었습니다.
나뚤어 선생님은 이를 치료하기 시작했습니다.
그것도 아주 빠르고 익숙한 손놀림으로 말이에요.
루디는 기계로 이를 가는 소리를 듣긴 했지만,
이가 갈리는 느낌은 거의 느낄 수 없었습니다.

정말 얼마 안 있어 나뚤어 선생님이 말했습니다.

"거 봐, 이제 송곳니가 새 이처럼 됐잖아.

이젠 네 마음대로 물기도 하고,

갈기도 하고, 씹을 수도 있을 거야."

루디는 얼굴이 환해지면서

의자에서 깡충 뛰어내렸습니다.

이젠 이가 하나도 아프지 않았습니다.

그러자 갑자기 배가 몹시 고팠습니다.

10. 맛있는 저녁

루디는 문 쪽으로 뛰어갔습니다.

이기트는 깜짝 놀랐습니다.

밖은 벌써 환해진 다음이었거든요!

이기트가 큰 소리로 외쳤습니다.

"나가지 마!"

나뚤어 선생님은 루디의 목덜미를 붙잡고 물었습니다.

"지금 나가서 뭘 하려고 그래?"

루디는 언짢은 얼굴로 나뚤어 선생님을

빤히 바라보면서 소리치듯 대답했습니다.

"저녁을 먹으려고요! 아침을 먹고 나서
여태 아무것도 못 먹었단 말이에요."
나뚤어 선생님이 물었습니다.
"그래서 집에 가려고?"
루디가 다시 소리쳤습니다.
"아뇨, 저 밑에 사람들이 사는 마을로 가려고요.
그 마을의 시장님한테는
너무너무 예쁜 딸이 하나 있거든요.
그 애는 밤마다 창문을 열어 놓고 자요.
그래서 그 애 피를 이기트랑 나눠 마시려고 그랬죠."

나뚤어 선생님은 웃음을 터뜨렸습니다.

"그래 그래.

하지만 그건 내일 다시 생각해 보렴.

오늘은 그냥 여기에 있도록 해."

"왜요?"

루디가 묻자,

이기트는 창문 쪽을 가리켰습니다.

밖에는 하늘이 벌써 붉게 물들고 있었습니다.

루디가 물었습니다.

"젠장! 그럼 이제 어떻게 해요?

너무 배고프단 말이에요."

나뚤어 선생님은 햇빛이 못 들어오게

집에 있는 모든 커튼을 빈틈없이 쳤습니다.

그러고는 다정한 목소리로 말했습니다.

"오늘은 그냥 우리 집에 있도록 해.

낮에도 환자들이 가끔 찾아오거든.

그리고 관도 여러 개 있단다."

"먹을 것도 있나요?"

루디가 궁금해하며 묻자,

나뚤어 선생님은 고개를 끄덕였습니다.

"그야 물론이지!"

셋은 다 함께 지하실로 내려갔습니다.

거기에는 아늑한 부엌이 딸린 멋진 살림집이

꾸며져 있었습니다.

이기트와 루디는 식탁에 음식을 차렸습니다.

피를 섞어 만든 소시지랑 감자 샐러드,

또 버터에 볶은 거머리에다,

후식으로는 피를 끼얹은 옥수수 푸딩을요.

루디는 아무리 먹어도 양이 찰 것 같지 않았습니다.

루디는 음식을 실컷 먹고 나서 말했습니다.

"야, 정말 맛있었어요!"

나뚤어 선생님이 미소를 띠며 말했습니다.
"이가 아팠더라면 그렇게 맛있는 줄도 몰랐을걸."
그러자 루디가 대답했습니다.
"맞아요! 이젠 이가 아프지 않으니까,
시장님 딸의 피도 이렇게 맛있게
먹을 수 있을 거예요."

옮긴이의 말

   루디는 흡혈귀 부모를 둔 평범한 흡혈귀 아이랍니다. 그래서 아침 식사 때에도 우유 대신 피를 더 즐겨 마시지요. 그러던 어느 날, 루디는 아침을 먹다가 송곳니가 몹시 아픈 걸 느낍니다. 이가 아프면 얼른 치과에 가는 게 당연하지만, 사실 치과에 가는 것만큼 아이들을 겁 먹게 하는 것도 없지요. 그건 루디도 마찬가지여서 이가 아픈 걸 꾹 참고 치과에 가지 않으려고 핑계를 댑니다. 하지만 그게 어디 참는다고 될 일인가요? 이가 아프면 되도록 빨리 치과에 가서 치료를 받아야지요. 다행히 루디에게는 이기트라는 좋은 친구가 있어서, 치과 의사인 삼촌한테 루디를 데려갑니다.

   마침내 루디는 치과에 가게 되지만, 치과에 한 번도 가 본 적이 없는 루디는 두려운 마음을 쉽게 떨쳐 내지 못합니다. 그래서 박쥐로 모습을 바꾸어 위기를 모면하려고 하지요. 하지만 의사 선생님도 역시 흡혈귀여서 처음에는 늑대로, 또 나중에는 박쥐로 쉽게 모습을 바꿉니다. 결국 둘 다 박쥐가 되어 전등에 거꾸로 매달려 신나게 그네를 타면서 한바탕 소동을 피우다 보니, 날이 밝아 오는 것도 알아차리지 못합니다. 다행히 이기트 덕분에 의사 선생님

57

과 함께 다시 흡혈귀로 돌아온 루디는 마침내 마음을 고쳐 먹고 치료를 받습니다. 또 막상 치료가 끝난 다음에는, 치과에 가서 이를 치료받는 게 무턱대고 겁낼 일만도 아니라는 걸 깨닫게 되지요. 아픈 이 때문에 두고두고 고생하는 것보다야 얼른 치과에 가서 치료를 받아 건강을 되찾는 게 아무려면 더 낫지 않겠어요?

잉그리트 위베는 흡혈귀 루디를 주인공으로 삼아 이 이야기말고도 재미난 이야기를 여러 편 써서 루디를 아이들의 친구로 만들었습니다. 루디는 흡혈귀 부모를 둔 흡혈귀지만, 사실 생각하는 거나 느끼는 건 보통 아이들과 다를 바가 없습니다. 또 한편으로는 사람들과는 다른 흡혈귀의 생활 습관이 웃음을 자아내게도 하고요. 이 책은 이제 막 책 읽기를 배우기 시작한 어린이들에게 유익한 내용을 전할 뿐만 아니라, 책을 읽는 재미도 함께 선사해 줍니다.

문성원